THE BROONS

Price £5.35

D. C. THOMSON & CO. LTD., GLASGOW:LONDON:DUNDEE

Printed and Published by D. C. Thomson & Co., Ltd., 185 Fleet Street, London EC4 2HS.
© D. C. Thomson & Co., Ltd., 2001.

ISBN 0-85116-784-5

This babysitter will see that the bairns are a' right —
— but whit aboot the size o' her appetite!

The price o' a meal seen on T.V. —

— leaves Paw Broon feelin' a' at sea.

A trip tae buy a bottle o' whisky —
— is no' goin' tae leave Paw feeling frisky.

NOO THAT A' THE 'JANUARY SALE' COMMOTION'S OWER WI' . . .

. . . I CAN USE MY 'WHISKY STORE' GIFT VOUCHERS WITHOOT FIGHTIN' MY WAY THROUGH THE CROWDS IN TOON!

SOON AFTER . . .

HELLO, YOU TWA!

JINGS! YER TIMING'S JIST PERFECT, PAW!

FINEST MALT WH

WE'VE TAE BUY A GUID WHISKY FOR A BOY THAT'S RETIRIN' AT WORK, BUT WE'RE A BIT SHORT. CAN YE HELP US OOT?

OCH! OKAY, I S'POSE SO!

THEN . . .

PERFECT! COULD YE STAND US A CARRY-OOT FOR A PARTY WE'RE GOIN' TO THE NICHT, PAW? WE'RE SKINT TILL FRIDAY.

HELP MA BOB!!

YE'D BETTER TAK' IT A' AFF THESE VOUCHERS, LADDIE, AN' TELL ME WHIT I'VE GOT LEFT.

SURE THING, MISTER BROON!

CHEERS, PAW — YE'RE A PAL!

WHIT!

A MINIATURE! ONLY ENOUGH LEFT O' MY VOUCHERS FOR ONE MEASLY MINIATURE!

OCH, YE CAN SURELY WAIT TILL WE REPAY YE FOR YER BIGGER DRAM, PAW. FRIDAY'S ONLY FIVE DAYS AWA'!

KEN. H. HARRISON.

A hillwalkin' trip tae the But 'n' Ben —

—isnae that simple for Paw, Joe and Hen

Paw is left tae babysit —

— but the bairns dinna ken just when tae quit.

Granpaw's fond o' his auld headgear —

— till somebody mak's it disappear.

I'VE TIMED THIS VISIT WEEL! I CAN HEAR MAW BOILIN' THE KETTLE!

WHIT A SIGHT YER AULD BONNET IS, GRANPAW. YE'LL SHOW US UP!

THIS IS MY LUCKY BUNNET! I WORE IT AT WEMBLEY IN '67, AND WHEN I WON THE BOOLIN' CLUB CHAMPIONSHIP . . .

HE'S DRAPPED AFF TAE SLEEP. DAPHNE, NIP OOT TAE THE SHOPS AND BUY HIM A NEW ANE!

OK, MAW!

FIFTY WINKS LATER —

WHAT'S HAPPENED TO MY AULD LUCKY BUNNET? AN' WHIT'S THIS DAEIN' IN ITS PLACE?

NOO, NOO, GRANPAW. YE LOOK MUCH SMARTER IN THAT MODEL!

IT DOESNAE HAE CHARACTER LIKE MY AULD ANE!

THAT'S A STRONG WIND GETTIN' UP!

MIND YER BUNNET, GRANPAW!

OCH, IT'S BLAWN AWA' INTAE THAT SHED. THIS WOULD NEVER HAVE HAPPENED WITH MY LUCKY BUNNET!

WID YE CREDIT IT?

JUST LOOK AT THAT!

MRS GOW'S CAT'S USING THE NEW BUNNET AS A NEST FOR HER KITTENS!

AW! WE CANNAE EVICT THE PUIR WEE CRAITURS!

ME WANTS ANE!

AT NO. 10

WE'VE HAD TO GIE HIM HIS AULD BUNNET BACK!

TELT YE IT WAS LUCKY. YE DINNAE GET RID O' IT AS EASY AS THAT!

Granpaw's plannin' tae get wed?

Then whit's the surprise in the garden shed?

Wi' young and auld it tak's a trick —
— a guid, auld-fashioned pogo-stick!

Tryin' tae scrape aff auld wallpaper —

—ends up in a proper caper.

Hen is feelin' awfy miffed —
— when Granpaw offers him a lift.

Hen Broon disnae get a' that far —

— when he sets oot tae buy a car.

Nae wonder Paw's in ane o' his moods.

There's mair plants in here than in the local woods!

A weekend break frae a gruellin' diet?

Too richt, oor Daphne's bound tae try it!

Daphne's jealous o' Maggie's new job —
— surrounded by hunks that are worth a few bob!

Fish for a', they think but, "Och!"

There's strict new rules doon at the loch.

KEN.H. HARRISON.

Long and thin, short and fat —
—there's some luck attached tae that!

Watchin' the fitba' on the box —
— leads tae some unwelcome squawks!

The Broons rush aboot like busy bees —
— for special guests, if you please

The gear has got tae be just right —
— tae ride a bike aroond at night!

KEN. H. HARRISON.

The new pub grub is quite a mouthful —
— and Paw's command o' French is doubtful.

People get in an awfy tizz —

— when Paw tells it like it is!

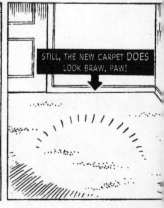

There's a fine how do ye do —
— at the local cinema queue!

Hen and Joe are havin' a blast —
— rememberin' the fun they had in the past.

Poor old Joe! His heid's got sair —
— just frae askin' whit tae wear!

I WANT TAE LOOK GOOD FOR MY DATE TONIGHT, BUT I'VE NAE IDEA WHAT TAE WEAR!

SILK SHIRT AN' BLACK JEANS — LOOKS GREAT, JOE! SMART BUT CASUAL AN' A' THAT!

NAH, NAH! A GIRL LIKES TAE SEE A LAD LOOKIN' IMMACULATE, JOE. PUT YER SUIT ON!

NEVER MIND A' THAT, JOE — GET YER KILT ON! A' THE LASSIES LOVE A KILTIE!

THEN...

ME THINKS YE'D LOOK GREAT WI' THE TEDDY-BEAR TIE I BOUGHT YE LAST CHRISTMAS, JOE!

HEE-HEE!

CUTE!

JINGS! WHIT'LL I DAE? WHATEVER I CHOOSE, IT'LL PUT SOMEBODY'S NOSE OOT O' JOINT!

...NNAE LEAVE ...ITHOOT LETTIN' ...S SEE WHAT ...E PICKED, ...OE!

SHORTLY...

SLAM!

HEY! JOE'S AWA' WITHOOT LETTIN' US SEE WHIT HE'S WEARIN'! WHIT'S THAT A' ABOOT?

OUTSIDE...

JINGS, JOE...

...IS IT A FANCY-DRESS PARTY WE'RE GOIN' TAE?

OCH, I COULDNAE MAK' UP MY MIND WHAT TAE WEAR—SO I JIST PUT ON AS MUCH AS I COULD!

KEN.H. HARRISON.

Naebody's in any doubt —

— it's time the family a' moved ou

Daphne's driving's no' the best —
— when Hen puts it tae the test!

ARE YE READY, HEN?

AS READY AS I'LL EVER BE!

WELL, GUID LUCK! YE'RE ONLY GOIN' TAE THE SUPERMARKET, BUT YE'LL NEED IT!

DINNAE WORRY — IT'S ONLY ABOOT DAPHNE'S FOUR HUNDREDTH LESSON, EFTER A'!

OH, FUNNY HA-HA — NOW LOSE THE CRASH-HELMET, HEN!

KEEP YER EYES ON THE ROAD . . . MIRROR, SIGNAL, MANOEUVRE . . . OF COURSE, THAT A' COMES NATURALLY TAE AN EXPERT LIKE ME . . .

WHIT A BLOWHARD! I WISH I HADNAE ASKED HEN TAE GIE ME A DRIVIN' LESSON!

OKAY! IF YER LIGHTS EVER FAIL, YE'LL NEED TAE USE HAND-SIGNALS, SO LET'S PRACTISE THEM. WE'RE TURNIN' LEFT AT THIS JUNCTION.

TURN . . . OOPS! LLY ME!

SMACK!

TESDA SUPERMARKET CAR PARK

YE DAFT BESOM! THAT WAS SAIR!

HEE-HEE!

CAN GABLE

SORRY ABOOT THAT!

IN THE SUPERMARKET . . .

NEW

I MIGHT NO' BE THE BEST DRIVER IN THE WORLD . . .

. . . BUT I CAN SURE STEER A MEANER SUPERMARKET TROLLEY THAN THAT!

PHARMACY + MEDICINES + B

OCH, WHEESHT! IT'S NO' EASY STEERIN' AN' LOOKIN' FOR STICKY PLASTERS AT THE SAME TIME!

SLAM!

KEN·H· HARRISON.

Comin' hame late at night —
— Paw gi'es himsel' an awfy fright!

Turnin' the water off was rash —
— when the family need tae make a splash!

ust hear Granpaw maon an' groan.

"New technology cannae match a gramophone."

How will Paw awake his flock —
— withoot his trusty alarm clock?

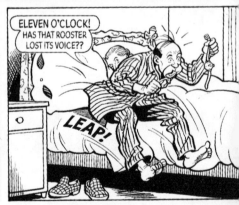

here's an ootside chance —
— there'll no' be a dance!

THE BUT 'N' BEN —

THIS DANCE AT THE VILLAGE HALL SHOULD BE BRAW!

AYE, I'VE HEARD THE BAND'S AWFY GOOD!

BUT —

WHY'S EVERYBODY STANDIN' ABOOT OOTSIDE?

THE BAND PHONED TO SAY THEIR VAN'S BROKEN DOON. WE'VE NAE REPLACEMENT! NAE BAND, NAE DANCE!

THAT'S NAE PROBLEM! IF YE CAN FIND US SOME INSTRUMENTS, WE'LL FILL IN! WE'RE BRAW MUSICIANS!

GREAT!

DINNAE WORRY — I'LL SEE TAE IT, MISTER BROON!

GOOD LAD!

COME ON — LET'S HAE A DRAM INSIDE WHILE WE'RE WAITIN'!

OW'S HE GOIN' TAE NG MUSICAL TRUMENTS FOR US A BIKE, THOUGH?!

SOON AFTER —

AH! THE YOUNG FELLA OBVIOUSLY ORGANISED SOME TRANSPORT FOR THE GEAR!

HEY! IS THIS THE BAND? I THOCHT YOU WERE GETTIN' INSTRUMENTS FOR US!

ER . . . NO' QUITE, MISTER BROON . . .

Y'SEE, I'M A MECHANIC — SO I WENT AN' FIXED THEIR VAN. I HEARD YOU LOT AT HOGMANAY — AN' ONCE WIS ENOUGH!!

OCH! WE'RE NO' AS BAD AS A' THAT, ARE WE??

KEN. H. HARRISON

What will the damage be —
— when Hen's car has its M.O.T.?

KEN H. HARRIS

Maw loses the plot —

— when Paw gets o'er hot!

Paw says, 'not on your nelly!' —
— when the lads want tae watch telly

AT THE BUT AN' BEN ...

LOOK! I'VE SMUGGLED UP A WEE TELLY! WE'LL GET GREAT RECEPTION UP HERE AT THE BUT AN' BEN TAE WATCH THE CUP FINAL ON THE FLY.

AW, PAW'LL NO' LIKE THAT. HE DOESNA' LIKE TV INTERRUPTIN' THE ATMOSPHERE HERE, YE KNOW ...

NAE BOTHER, WE'LL JUST NO' TELL HIM. WHIT HE DOESNA' KEN WINNA' HURT HIM, EH?

YE DINNA SAY!

IS THAT A FACT? I MIGHT HAVE KNOWN — YE CANNA GO FIVE MINUTES WITHOOT YER TV! 'LOCHWATCH', IS IT?

RUMBLED!

NAW, NAW ... IT'S THE CUP FINAL.

LOOK AT THIS BRAW WEATHER! YE SHOULDNA' BE WATCHIN' TELLY — YE SHOULD BE OOT FISHIN', OR HILLWALKIN'.

I SUPPOSE I COULD TRY AND FIND THE CAIRN ON TOP O' BEN BREICH.

LATER ...

WELL, I'M AFF FOR A GUID CYCLE RUN ROUND THE GLEN. GOT TAE KEEP FIT, YE KEN.

ACH, YE'RE PROBABLY RIGHT! I FANCY A WEE GO WI' THE NEW ROD ANYWAY!

THIS'LL BE MAIR FUN THAN SKULKIN' INSIDE WATCHIN' TV.

2.45 P.M.

SO MUCH FOR CATCH O' THE DAY! THREE AULD SHOES AN' A RUSTY TIN ... AN' MY WELLIES ARE FULL O' WATTER, WHAT'S MAIR!

AH! THERE IT IS! JUST IN TIME! I WAS BEGINNING TAE THINK I'D NEVER MAKE IT!

HAVIN' TROUBLE, HANDSOME?

ME? NO, NO, JUST ADMIRIN' THE VIEW!

THROB!

MY TAES ARE ACHIN'! I'VE GOT BLISTERS LIKE ONIONS! I'VE NO' BEEN HILLWALKIN' FOR AGES! WHAT WIS I THINKIN' ABOOT LETTIN' PAW TALK ME INTAE THIS!

I KEN IT'S NO' FAIR — BUT I COULDNAE MISS THE MATCH! AN' WHIT THEY DINNAE KEN WINNA HARM THEM!

KEN HARRI

Whit a laugh when this auld pair —
— decide tae race upon the stair!

Daphne's surely temptin' fate —

— when she tries tae lose some weight!

Cookin' an' showerin' an' bairns runnin' riot —
— mean Horace cannae find any peace an' quiet.

Maw an' the lassies quail —

— at a nicht in a tent in a howlin' gale!

WHIT'S THIS?

WE FANCY A WEE BREAK.

WE WERE WONDERIN' WHERE TAE GO.

FOREIGN TRIPS ARE DEAD CHEAP AT THIS TIME O' YEAR!

MAJORCA! COPENHAGEN! ALICANTE! WE CANNA AFFORD ANY O' THIS! A GUID CAMPIN' HOLIDAY HERE WOULD BE BETTER. IT'LL MAK' YE HARDY, PUT HAIRS ON YER CHEST . . . AND IT'S CHEAP!

ER, I DINNA WANT HAIRS ON MY CHEST, THANK YOU!

ACH, PAW'S RIGHT. IT'S A GUID IDEA!

AYE! I'M GAM

NEXT DAY

RIGHT! WE'RE FOR THE OFF!

BUT THERE'S AN AWFY WEATHER FORECAST . . . RAIN, GALES . . .

THAT'LL NO' BOTHER US! BRACIN', THAT'S A'. WE'RE HARDENED TAE IT.

OOT IN THE WILDS . . .

HERE, THERE'S A BIT O' A BREEZE GETTIN' UP . . .

NAH! IT DOES YE GUID TAE GET FRESH AIR INTAE YE!

SHWEEESH!

JINGS! WHIT A GUST!

THE TENT! IT'S AWA'!

WHIT'LL WE DAE NOO?

MAN! WHA TURNED THE TAPS ON?

QUICK! THERE'S ONLY ONE THING FOR IT . . .

NEXT DAY

HOW DID YE GET ON IN THAT AWFY WEATHER?

WHERE'S THEIR TENT?

OH, ER . . . NAE PROBLEM. A WEE DROP O' RAIN DISNA' PUT US AFF.

KNOCK! KNOCK!

I'LL GET THAT.

THIS BOY SAYS HE'S FRAE THE INVERFLOCHY HOTEL.

WE JUST BATTENED DOON THE HATCHES AN' GOT ON WI' IT. RARE FUN IT WIS, TAE.

OH, MR BROON. YE LEFT YER HAT IN YER ROOM AT THE HOTEL LAST NIGHT. I WAS PASSING ANYWAY SO I DROPPED IN. AND YER TENT TURNED UP ON MY NEXT DOOR NEIGHBOUR'S LUM.

AND THAT PLA COSTS A PACK WE'D BE CHEAP A' GOIN' TAE MAJORCA!

SO! HARDY, EH?

KEN.H. HARRI

The lads wish Granpaw had gone slower.
Noo their big idea is no 'mower'.

KEN.H. HARRISON.

If the lassies say they can go —
— it's party time for Hen and Joe!

Paw thinks that it's beyond the pale —

— tae see such stuff comin' through the mail.

Makin' fun o' Daphne Broon —
— leads tae a proper dressing doon.

Paw and Granpaw have some fun —
— gardenin' in the summer sun!

A' that Paw is wishin' —

— *is for a spot o' quiet fishin'.*

Paw's face is the length o' a week —
— when he gets up tae fix a leak!

It isnae jist whit the family think —

— when Joe invests in this valuable drink!

Paw Broon's wardrobe tak's a bashin'.

But it just might be the height o' fashion.

When mystery illnesses strike the hoose —
— is there a lurgy on the loose?

...iven the hoose up, that's the thing —
— by gettin' a party in full swing!

KEN. H. HARRISON.

When Maw cannae take any mair —
— the twins are kept oot o' her hair!

Joe volunteers tae cook.
But how long till he's brought tae book?

Efter a shave tae cut through the stubble —

— can ye guess wha's Paw Broon's double?

Granpaw jist will not be told —
— about surefire remedies for his cold.

I WISH YOU LOT WOULD JIST GO HOME! I'VE ONLY GOT THE CAULD, AN' THE DOCTOR'LL BE HERE SOON.

SNEEZE!

THIS'LL FIX YOU UP, GRANPAW — HERBAL TEA WI' CAMOMILE, GINGER AN' LEMON. IT GETS RID O' CAULDS IN NO TIME!

NO WAY! I DINNAE HOLD WI' THESE NEW-FANGLED CURES.

HUH! YE COULD AT LEAST TRY IT!

IF YE DINNAE LIKE NEW-FANGLED CURES, TRY THE 'OLD SOCKS' METHOD — I'VE GOT MY FITBA KIT IN HERE.

THAT WOULD CLEAR ONYBODY'S TUBES!

NEVER MIND THEM, GRANPAW! JIST HAE ONE O' MY GREAT CURE-ALL RESTORATIVES AN' YE'LL BE UP AN' ABOOT IN NO TIME!

ER . . . NO . . . I REALLY SHOULDNAE. I WOULDNAE LIKE TAE TAK' A DRINK IF THE DOCTOR'S TAE PUT ME ON MEDICATION.

WHIT??

HE IS ILL!

REFUSIN' A DRAM? I HOPE THE DOCTOR GETS HERE SOON!

HE'S OBVIOUSLY SICKENIN' FOR SOMETHING — THE DOCTOR'LL PROBABLY WHIP HIM INTO HOSPITAL!

HERE'S THE DOCTOR NOO, GRANPAW!

JINGS! NAE WONDER HE DIDNAE WANT US TAE CURE HIS CAULD . . .

. . . HE'S OBVIOUSLY FISHIN' FOR ANOTHER HOUSE-CALL!

HOW ARE YOU FEELING TODAY, MISTER BROON?

OH, STRUGGLING, DOCTOR — STRUGGLING!

HE'S STILL GOT AN EYE FOR A BONNIE LASSIE!

KEN. H. HARRISON.

Hear Paw rant an' shout.

"It's time for a family night out!"

Daphne wants tae buy a treat —

— for some poor soul oot on the street!

Paw has a serious problem posed —
— when he finds the paper shop closed

THERE'S A BRAW MATCH ON TV AT THE PUB THE NICHT!

AYE, BUT DINNA YOU FORGET TAE GET MY EVENING 'PAPER *AFORE* YE GO TAE THE PUB!

OCH, DINNA WORRY YERSEL', MAW! I'LL NO' FORGET!

LATER ...

WHAT A BRAW GEMME! THE WEE PORTUGUESE FELLAH PLAYED A BLINDER!

ACH, YOU'RE BIASED! THE BIG FRENCH CENTRE-BACK SNUFFED HIM OOT! AND HE NEVER GOT PAST THE AUSTRIAN SWEEPER!

AYE, SCOTTISH FITBA'S NO A' BAD ... AND DINNA FORGET THE ...

... THE 'PAPER!! CRIVVENS! I FORGO A' ABOOT MAW'S 'PAP SHE'LL MURDER ME

42

A. AND S. BROWN NEWSAGENTS

NO! I MIGHT HAE KENT! THE SHOP'S SHUT! IF MAW DOESNAE GET THE NEXT CHAPTER O' HER SERIAL, MY LIFE'S NO' WORTH LIVING!

NEVER! THERE'S STILL JUST ONE CHANCE! FOLLOW ME, LADS!

AYE, YE'RE IN THE SOUP NOW, PAW! BETTER GO HAME AN' FACE THE MUSIC!

SOON ...

SMELLS BRAW!

WHAT'S THIS? EIGHT FISH SUPPERS? THAT'S AWFY GENEROUS O' YE, PAW!

OCH, YE KEN ME! GENEROUS TAE A FAULT! THE FAMILY AYE COMES FIRST!

GENEROUS? YE MUST BE JOKIN'! *DAFT,* MAIR LIKE! C'MON! OWN UP!

ACH, YE CANNA' GET AWA' WI ONYTHING IN THIS HOOSE!

PAW HAD TAE BUY EIGHT FISH SUPPERS TAE GET A' THE PAGES O' THE EVENING PAPER! THE NEWSAGENT AYE HANDS HIS UNSOLDS TAE THE CHIP SHOP!

JUST AS WELL FOR YOU, LAD! I HOPE THERE'S NAE VINEGAR MARKS ON MY SERIAL PAGE!

JINGS! THE MAIST EXPENSIVE NEWSPAPER O' THE YEAR!

Paw's in the bad books, yes indeed!
— For forgetting the motto 'mair haste less speed'!

Horace isnae happy at a' —
— when his homework's done by Paw

MAN! THIS MATHS HOMEWORK — IT'S DEAD HARD!

MAYBE I COULD HELP YE ... I WIS ARITHMETIC DUX IN NINETEEN-OATCAKE.

YOU?!

AYE ...! SNEAKED A LOOK AT THE EXAM ANSWERS ... BUT THE HEID LET ME AFF BECAUSE HE SAID I'D DEMONSTRATED INITIATIVE.

LET YE AFF?!

AYE. HE ONLY GIED ME FOUR O' THE BELT.

DINNA' YOU LISTEN TAE HIM, HORACE ... I'LL HELP YE WORK IT OOT, FAIR AN' SQUARE ... NONE O' THAE AULD TRICKS ...

AHHH ... THE AULD DOUBLE-OVERHEAD SIMULTANEOUS EQUATIONS ... BRAW FUN ... USED TAE DAE THEM IN BETWEEN HANDS O' GIN RUMMY ...

HELP MA KILT! YE'D NEED A ROCKET SCIENTIST TAE GET THESE!

I'M JUST NIPPIN' OOT ... A BOTTLE O' ... PAINT STRIPPER ... I'LL DAE YER STUFF WHEN I GET BACK.

HI, JIM! YOUR LADDIE SANDY'S IN THE SAME CLASS AS HORACE, ISN'T HE? MY LAD'S IN A BIT O' BOTHER ... COULD WE GET A COPY O' THE HOMEWORK ANSWERS? HE'S TOO, ER, SHY TO ASK.

GUID PLAN, BROON! HO-HO! I USED TAE DAE THAT MASEL' ... OKAY.

LATER ...

I THOUGHT SO ... IT'S NO' SAE DIFFICULT IF YE JUST THINK ABOUT IT. YE SHOULDNA', AHEM, GIE UP SAE EASY, HORACE.

NEXT DAY ...

HORACE BROWN AND SANDY GELLAN, BOTH YOUR HOMEWORK EXERCISES ARE COMPLETELY WRONG! IF I DIDN'T KNOW BETTER, I'D SAY YOU'D BEEN COPYING!

... SO TEACHER ACCUSED ME OF COPYING THE HOMEWORK YOU DID!

OH ... ER, WELL ... IT WIS LIKE THIS ...

HERE! MY HAND'S GETTING SAIR!

THE SHAME O' IT ... BUT I'LL LET YE AFF ... YE CAN DAE HALF MY LINES!

NEVER MIND, SON ... YE DEMONSTRATED INITIATIVE! HO-HO!

KEN H. HARRISON

It's aboot time Granpaw realised —
— that he'll never be organ-ised

KEN. H. HARRISON.

Granpaw brings a friend around —
— a muckle, hairy, happy hound!

HELLO, A'BODY. I'M LOOKIN' EFTER AULD MISTER MILDEW'S DUG FOR THE DAY WHILE HE GOES UP TOON. A BRAW BEAST, EH?

AYE, BRAW!

GET AFF THAT CHAIR!

OCH, MAW — LEAVE THE DOG ALANE. IT'LL NO' BE HERE FOR LONG!

IT'S NO' THE DOG — IT'S YER FAITHER! HE'S BEEN IN THAT FILTHY SHED O' HIS AGAIN!

JINGS!

IT'S NAE ORDINARY DOG, Y'KEN — IT'S BEEN SUPREME CHAMPION AT CRUFTS AND WON LOADS O' BRAVERY MEDALS. IT PULLED A FAMILY OOT O' A BURNING BUILDIN', SO IT DID!

HELP MA BOAB IS THAT TRUE?

NAW — IT'S A SHAGGY DOG STORY! HEE-HEE!

CRIVVENS! HE THINKS HE'S A COMEDIAN NOO!

THEN . . .

HEY! WHAUR IS THE DOG?

AND . . .

HA-HA! FANCY LEAVIN' YER DINNER OOT WHEN THERE'S A DOG ABOOT. BEANS ON TOAST FOR YOU LOT THE NICHT, IS IT?

NO' REALLY . . .

. . . I GOT IT FOR NOTHIN' FRAE DAVE LYALL, THE BUTCHER, DOON AT THE BOOLIN' CLUB — AN' I COOKED IT FOR *YOUR* TEA!

WHIT???

WAIT TILL I CATCH YE, YE THIEVIN' FLEABAG!

HEE-HEE! IT'S A DOG'S LIFE, EH, FAITHER?

KEN HARR

Hen's actin' like an awfy snob —

— boastin' about his brand new job!

Paw decides tae tak' a look —

— at a thrillin' library book!

KEN.H
HARRIS

Granpaw gets some fowk in —
— tae help wi ' a tattie howkin'!

Hen's new look is awfy dapper —
— but what's that stuff upon his napper?

Tae mak' sure the family continue tae thrive —
— Paw goes on an economy drive!

WHIT?

WHIT?!!

THIS HAS GOT TO STOP! LOOK AT A' THESE BILLS AND SUBSCRIPTIONS AND DIRECT DEBITS! YE'LL HAE TAE CUT BACK OR WE'LL END UP IN THE WORKHOOSE!

WELL, DINNA' LOOK AT ME — I SPENT LAST NIGHT DARNIN' YER SOCKS.

AYE? AND WHIT ABOUT THAT FASHION SHOP DISCOUNT CARD YOU THREE ARE AYE THROWIN' ABOOT? IT MUST BE RADIOACTIVE BY NOW, A' THE STUFF YE BUY WI' IT. YOU WOMEN JUST HAE NAE WILLPOWER IN THE SHOPS.

CHEEK!

I'LL SOON SORT THIS OOT . . . WE'LL TAK' A' THE MONTHLY OUTGOINGS AND SEE WHAT CAN BE CUT.

OKAY, THEN. CANCEL THAT MALT WHISKY CLUB SUBSCRIPTION . . .

. . . AN' A' THESE ACCORDION SESSION CDs WE CAN DAE WI' OOT . . .

ER . . . OKAY.

AND CANCEL THAT ORDER FOR THE TWENTY-VOLUME GAELIC ENCYCLOPAEDIA . . .

NAE SILK TIES OR WAISTCOATS FOR PAW THIS MONTH. THAT'D HELP!

NAH, NAH, WAIT A MINUTE — THAT'S A' MY STUFF YE'RE CHOPPIN'!

WELL, YE SHOULD PRACTISE WHIT YE PREACH, AND IT'S GOOD TAE SEE YE TAKIN' THE LEAD.

OF COURSE, US MERE WOMEN HAVE NAE WILLPOWER . . .

. . . SO WE'RE GOIN' OOT FOR A SLAP-UP MEAL ON SOME O' THE SAVINGS! OF COURSE, YE'LL NO' WANT TAE COME . . . THAT'D BE EXTRAVAGANT.

BUT . . . ER . . . HAUD ON . . .

NEVER MIND, 'MYSTERY DATE' IS ON SOON!

WHY COULD YE NO' KEEP YER BIG MOOTH SHUT?

KEN. H. HARRISON.

Paw will hae tae face Maw's wrath —
— if there are problems fittin' the new bath

A concert-ed effort fae Granpaw —

— still ends up in blushes for Maw.

Joe reckons it'll be a dawdle —
— tae earn big cash as a male model.

THIS WAS MY LAST ASSIGNMENT, MAW, MODELLIN' SOME SPRING OUTFITS.

OH, I'M RICHT PROUD O' YE, MAGGIE. YE GET A' YER GUID LOOKS FRAE ME, OF COURSE . . .

ACH, HOW COME SHE AYE GETS A' THE PLAUDITS? SHE'S NO' THE ONLY TALENTED ONE AROUND HERE.

HAH! ARE YOU THE BRAD PITT O' GLEBE STREET, THEN?

LEAVE MY BONNY BROTHER ALONE. HE'S JUST AS GOOD LOOKIN' AS I AM — HE COULD BE A MALE MODEL.

AYE! I FANCY A BIT O' THAT — STRUTTIN' THE CATWALK, WOMEN CRAWLIN' A' OWER ME . . .

PARDON?!

ER . . . I MEANT, Y'KNOW, MAKE-UP WOMEN AND LASSIES, ER, FITTIN' YE UP WI' A' THE POSH CLOTHES . . .

PERHAPS I COULD GET JOE FIXED UP AT MY AGENCY . . . SEE IF THEY HAVE ANYTHING FOR HIM.

A FEW DAYS LATER . . .

HELLO . . . OKAY, I SUPPOSE . . . HOW MUCH? AYE, NAE BOTHER . . . 2.30, I'LL BE THERE.

THAT'S SANDRA FROM THE AGENCY. SHE'S GOT JOE AN ASSIGNMENT, OBVIOUSLY.

SO WHIT DID YE GET? UNDERWEAR CATALOGUE?

MODELLIN' LINEN SUITS IN BERMUDA?

AHEM! IT'S A SECRET, BUT IT PAYS GUID. I'LL SEE YE LATER.

A SECRET? SPOILSPORT!

WE'LL SOON FIND OUT — HE'S LEFT HIS NOTE . . . 'AT THE GLEBE COLLEGE, 2.30 P.M. . . . . ROOM 21A'.

LATER . . .

SURELY HE'LL NO' MIND IF WE TURN UP TAE GIVE HIM MORAL SUPPORT.

AYE. I CAN GIVE HIM TIPS, TOO.

GLEBE COLLEGE

HA-HA! HE'S A MODEL ALL RIGHT . . . A LIFE MODEL IN AN ART CLASS!

LIFE CLASS

OH, ER, WELL . . . IT'S HOW SEAN CONNERY GOT STARTED, I SUPPOSE!

JINGS! THIS IS TORTURE! I DINNA' THINK I CAN HAUD STILL FOR ANOTHER HOUR! WAIT TILL I SEE MAGGIE ABOOT THIS!

KEN.H. HARRISON

Which venue will be jist richt —

— for Maw and the lassies' quiet nicht?

Paw's visit tae the local scrappie —
— mak's the entire family happy.

For poor Paw, trouble never ceases.

He's aye left tae pick up the pieces.

Hen thinks that workin' oot wi' weights —
— will get him lots o' bonnie dates!

A broken key leaves the family standin' —
— like a bunch o' numpties on the landin'.

It's a richt daft affair —
— at the head o' the stair!

he twins wi' a pair o' black eyes?

Paw certainly doesnae sympathise!

Auld man Mildew's gettin' lippy —
— aboot the number o' Broons in the queue at the chippy

The Bairn supplies some laughs and shocks —
— wi' the contents o' Granpaw's war-time box!

An extra few bob'll come in handy —
— by selling off an ancient Dandy!

LISTEN TAE THIS, MAW! THERE'S A BLOKE IN THE PAPER HERE, HAS SOLD A FIRST COPY O' "THE DANDY" COMIC FOR *THOOSANDS* O' POUNDS! HOW ABOOT THAT?

NO' BAD!

'MAGINE! *THOOSANDS* FOR A COMIC! GRANPAW USED TAE BUY ME A' THAE COMICS WHEN I WAS A WEE LADDIE IN SHORT BREEKS . . .

ECHO
DUCE VISITS BERLIN

— JUST A MINUTE! JINGS! I KEPT THEM A' IN A BOX IN GRANPAW'S ATTIC!! MAW, WE'RE *RICH*!

ARE YE SURE YE KEPT THEM?

ABSOLUTELY! FIRST "DANDY," FIRST "BEANO" . . . AN' HUNNERS MAIR! THEY'RE A' THERE!

I'LL WANT A NEW OUTFIT!

AYE, YOU WOULD!

WE CAN AFFORD A WEE TRIP TAE MAJORCA!

AT GRANPAW'S . . .

YOU LOT! WHAT HAVE I DONE TAE DESERVE THIS SURPRISE VISIT?

LET ME UP TAE YER ATTIC! WE COULD BE IN FOR A FORTUNE!

IT'LL BE RARE TAE HAE A BOB OR TWA!

BUT . . .

I KEPT THEM A' IN THIS BOX! WHAUR HAVE THEY GONE??

SHAKE!

MICHTY!

FAITHER! WHAUR ARE A' THE AULD COMICS THAT WERE IN THIS BOX?

OH, THEM! I TOOK THEM A' OOT JUST THE ITHER DAY! I'M LOOKIN' EFTER ANNIE LENNOX'S BUDGIE, YE SEE . . .

. . . SO I JUST TORE THEM A' UP TAE LINE THE BOTTOM O' JOCKY'S CAGE! WHAT'S UP WI' YE, LADDIE! YE'RE OWER AULD F'R COMICS NOW! ONYWAY, SOME O' THEM WERE NEAR SIXTY YEARS' AULD! NAE USE TAE ONYBODY!

KEN H.
HARR

Borin' clubs an' extra classes —

— are surely no way tae impress the lassies.

WHIT ARE YE UP TAE THE DAY, HORACE?

I'M DAEIN' A TALK ON MY COLLECTION AT THE SCHOOL STAMP CLUB THE NICHT. I'M JUST CHECKIN' MY STAMPS ARE A' HERE.

YE'RE GETTIN' ON NOW, SON. SHOULD YE NO' BE OOT WI' THE LASSIES INSTEAD? I WAS AT YOUR AGE.

HMM . . . ? INVERTED WATERMARK . . . IMPERFORATE ISSUE . . .

AT THE STAMP CLUB

THIS IS BRILLIANT, HORACE. YE'VE GOT NEARLY A' THE GERMAN 1930 s INFLATIONARY SETS, AND YE SAY YE'VE GOT THE COMPLETE 1937 CORONATION ISSUE AS WELL?

AYE, ANGIE. YE MUST COME UP AND SEE IT SOME TIME.

NEXT NIGHT

WHIT'S A' THIS IN AID O', HORACE? LOOKS AWFY TECHNICAL.

IT'S FOR THE CHESS CLUB COMPETITION THE NIGHT. I'M IN THE FINAL.

CHESS MOVES

OH, AYE? HERE, HAVE YE NEVER THOUGHT O' GOIN' TAE A RAVE OR SOMETHING. YE AYE MEET LOTS O' . . . WELL, *INTERESTING* PEOPLE THERE.

NAW . . . I DINNA' HAE TIME WI' A' MY PURSUITS.

YAWN!

AT THE CHESS CLUB

YOU PLAYED REALLY WELL, HORACE. TROUBLE FOR A WHILE. WOULD YOU COME OUT FOR A SHAKE AND A BU

I'M NO SORE LOSER, PAULINE. I'D BE DELIGHTED TO.

NO' HALF

NEXT NIGHT

WHAT ARE YE UP TAE?

I'M REHEARSING MY SPEECH FOR THE DEBATING SOCIETY ANNUAL COMPETITION IN THE HALL TONIGHT.

WHIT NEXT? THE DULL AS DISHWATER CLUB?

DAILY NEWS

LET'S FACE IT, MAW. HORACE HAS GOT ABOOT AS MUCH GO IN HIM AS A BAG O' AULD CEMENT. NAE LASSIES WILL BE INTERESTED IN HIM.

AYE! I DINNA KEN WHERE HE GETS IT FROM. YOU WERE AYE OOT GALLIVANTIN' AT HIS AGE.

OOH, HORACE! YOU REALLY ARE A FABULOUS SPEAKER . . . AND YOU KNOW HOW TO SWEEP A GIRL OFF HER FEET AS WELL.

DEBATING SOCIETY DINNER DANCE

AYE . . . I GET IT FRAE MY FAITHER . . .

KEN H. HARRIS

Maw would watch her T.V. programme —
— if only the family would scram.

KEN. H. HARRISON.

Naebody can believe their eyes.
Daphne's lad's in miniature size.

Paw is ankle-deep in snow —
— teachin' the twins jist how tae throw

After yet another icy blast —

— Paw'll fix the windae at last!

I LOVE THE RUN-UP TAE CHRISTMAS. IT'S THE SAME EVERY YEAR!

CHRISTMAS CARDS ON THE MANTELPIECE...

...THE FAMILY HELPIN' EACH OTHER TAE PUT UP THE DECORATIONS...

EEJIT!

WHAUR'S THAT ITHER END?

BUMP!

OOYAH, MY HEID!

C'MON, C'MON! I'M GETTIN' PINS AN' NEEDLES IN MY ARM!

...AN' THE BAIRNS WRITIN' THEIR LETTERS TAE SANTA! I'D BETTER GET THEM ORGANISED!

HERE'S A' THE PENS AN' WRITIN' PAPER AN' STUFF!

AYE, YOU JIST CARRY ON, BROON — DINNA MIND ME! I'LL JIST BRING IN A' THESE HEAVY SHOPPIN' BAGS MASEL'!

I'VE LOOKED OUT A' THE THINGS FOR WRITIN' YER LETTERS TAE SANTA, BAIRNS!

BUT YE'RE OWER LATE, PAW!

HOW COME?

WE WROTE OOR LETTERS TAE SANTA ON HORACE'S COMPUTER AN' SENT THEM BY 'E-MAIL'...

...AN' IF HE MISSES THEM, WE CAN JIST PRINT MAIR COPIES AN' POST THEM! IT'S A DAWDLE!

JINGS! CHRISTMAS, THE SAME EVERY YEAR? IT'S ABOOT TIME I CAME INTAE THE NEW CENTURY, BY THE LOOK O' THINGS!

KEN H HARR

There are some strange and funny sights —
— oot and aboot on Auld Year's night